Jede neue Generation von Kindern wird durch die berühmten Erzählungen unserer beliebten Märchen-Reihen verzaubert. Die kleineren Kinder lieben es, sich die Geschichte vorlesen zu lassen. Andere Kinder freuen sich an den aufregenden Erzählungen in einem leicht zu lesenden Text.

Herausgebracht durch LADYBIRD BOOKS LTD. Loughborough Leicestershire UK
LADYBIRD BOOKS INC., Auburn, Maine 04210, USA

In England gedruckt

BELIEBTE MÄRCHEN

Der Feuervogel

neu erzählt von DOROTHY AITCHISON
illustriert von MARTIN AITCHISON

Ladybird Books

DER FEUERVOGEL

Vor vielen Jahren lebte in Rußland ein mächtiger König. In jenem Lande wurde der König Zar genannt. Die Gärten rund um das Schloß des Zaren waren voller herrlicher Bäume und Blumen, aber sein größter Schatz war ein Baum, auf dem goldene Äpfel wuchsen. Der Zar war sehr stolz auf diesen Baum und kam jeden Tag, um ihn anzuschauen.

Eines Tages fehlte ein Apfel! Am nächsten Tag fehlte noch ein Apfel! Als der dritte Apfel verschwunden war, wurde der Zar zornig. Er ließ Männer im Garten Wache halten, aber niemand konnte den Dieb fangen.

Der Zar hatte drei Söhne. Der älteste hieß Peter, der zweite Wassili, und der jüngste hieß Iwan. Eines Tages rief er die drei jungen Männer zu sich.

"Ein Räuber stiehlt meine goldenen Äpfel," sagte der Zar, "und ich habe beschlossen, daß wer auch immer diesen Schurken fangen kann, die Hälfte meines Reiches haben soll."

Der älteste Sohn trat vor. "Wir werden unser Bestes tun, Vater," sagte er. "Ich werde der erste sein. Ich werde heute im Obstgarten wachen."

Also ging Peter in den Garten, um unter dem goldenen Apfelbaum zu wachen. Er versuchte nach Kräften, wach zu bleiben, aber es nützte nichts. Am Morgen stellte er fest, daß wieder ein Apfel verschwunden war, während er geschlafen hatte.

Peter mußte seinem Vater gestehen, daß er den Dieb nicht gefangen hatte, und der Zar befahl seinem zweiten Sohn, in der folgenden Nacht in den Obstgarten zu gehen. Wassili hatte nicht mehr Glück als Peter. Obwohl er sich ebensolche Mühe gab, wachzubleiben, schlief auch er ein. Und als der Tag kam, war wieder ein Apfel verschwunden.

Der Zar war enttäuscht von seinen Söhnen. Als Iwan sagte, er werde in der dritten Nacht Wache halten, hatte der Vater keine großen Hoffnungen. “Geh, wenn du willst,” sagte er, “aber ich glaube, du wirst ebensowenig Glück haben wie deine beiden Brüder.”

Iwan ging zu seinem Platz bei dem Baum und beschloß, sich nicht hinzusetzen. Er ging viele Stunden umher und wusch sich jedesmal die Augen mit Tau, wenn er schläfrig wurde. Dann schließlich wurde er belohnt. Plötzlich gab es einen goldenen Lichtschein, und ein glitzernder Vogel mit glänzenden Federn flog auf den Baum zu. Iwan sah, wie das Tier begann, mit seinem juwelenbesetzten Schnabel auf einen Apfel einzuhacken. Leise schlich er sich an und packte den Vogel am Schwanz. Der Vogel riß sich los und flog fort, aber Iwan behielt eine wunderbar leuchtende Feder in der Hand.

Am nächsten Morgen brachte Iwan die Feder seinem Vater, und der Zar freute sich sehr. "Das muß der Feuervogel gewesen sein!" sagte er, nachdem Iwan ihm erzählt hatte, was geschehen war. Dann kam dem Zaren in den Sinn, daß der Feuervogel ein noch größerer Schatz sein würde als seine goldenen Äpfel.

Eines Tages schickte er nach seinen Söhnen. "Ich habe beschlossen, daß ich den Feuervogel haben muß," sagte er. "Sattelt eure Pferde und geht ihn suchen. Vergeßt nicht, wenn es euch gelingt, bekommt ihr die Hälfte meines Reiches!"

Peter und Wassili zogen sofort aus, aber der Zar sagte Iwan, er sei zu jung dazu. Darüber war Iwan sehr unglücklich. Er bat seinen Vater sehr, und erinnerte ihn daran, daß er den Feuervogel immerhin schon einmal gesehen hatte.

Schließlich willigte der Zar ein, und Iwan zog seine Rüstung an und ritt in den Wald. Nach mehreren Tagereisen kam er an einen großen Stein. Er stieg vom Pferd, um die Inschrift auf der einen Seite zu lesen. Da stand:

> "Reite geradeaus, und du wirst hungern.
> Reite nach links, und du wirst sterben.
> Reite nach rechts, und du wirst dein Pferd verlieren."

Iwan dachte eine Weile nach und beschloß dann, den Weg nach rechts einzuschlagen. Er war den ganzen Tag geritten, als plötzlich ein riesiger grauer Wolf aus den Büschen auf ihn zusprang. Der Wolf stürzte sich auf Iwan und warf ihn von seinem Pferd, das in den Wald hinein floh. "Du hast gelesen, was auf dem Stein stand!" rief der Wolf und jagte davon.

Nun mußte der arme Iwan
zu Fuß gehen. Er wurde sehr müde und war sicher, daß er den Feuervogel nie finden würde.

Schließlich setzte er sich hin, um auszuruhen. Beinah im selben Augenblick stand der Wolf wieder vor ihm. ''Es tut mir leid, daß ich dein Pferd verjagt habe,'' sagte er, ''aber du hast ja gesehen, was auf dem Stein stand. Wenn du so müde bist, dann sage mir, wo du hingehst, und ich werde dich tragen.''

''Ich suche den Feuervogel, der meines Vaters goldene Äpfel gestohlen hat,'' antwortete Iwan.

''Nur ich weiß, wo der Feuervogel lebt. Er gehört einem Zar mit Namen Afron,'' sagte der graue Wolf.

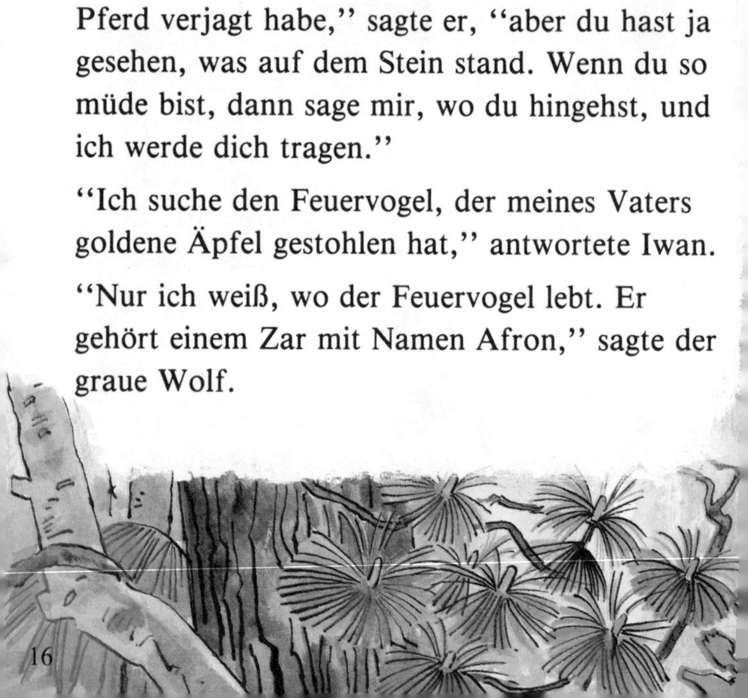

‘‘Steige auf meinen Rücken, und ich werde dich hinbringen.’’ Sobald Iwan aufgestiegen war, lief der Wolf wie der Wind durch den Wald. Endlich kamen sie an eine hohe Mauer aus Steinen.

''Da drinnen wirst du den Feuervogel finden,'' flüsterte der graue Wolf, ''aber gib Acht. Was immer du tust, seinen Käfig darfst du *nicht* berühren.''

Iwan kletterte über die Mauer, und tatsächlich war da der schöne Feuervogel in einem goldenen Käfig. Er vergaß die Warnung des grauen Wolfes völlig und ergriff den Käfig.

Sogleich begannen Glocken zu schlagen, und von allen Seiten kamen Wachen herbeigelaufen.

“Haltet den Dieb!” riefen die Soldaten, als er fortlaufen wollte.

Sie nahmen ihn gefangen und führten ihn vor den Zaren Afron, der sehr zornig war.

"Was kommst du her und stiehlst, was mir gehört?" schrie er.

Iwan schämte sich. "Herr, Euer Feuervogel hat meines Vaters goldene Äpfel gestohlen, und er hat mir befohlen, ihn zu fangen," sagte er.

"Warum hast du mich nicht geradeheraus gefragt, statt zu versuchen, ihn zu stehlen?" fragte der Zar. "Vielleicht hätte ich ihn dir

gegeben. Jetzt muß ich jedem sagen, daß du ein Dieb bist." Dann sah Zar Afron, wie sehr sich Iwan schämte. "Vielleicht kann ich vergessen, was du getan hast, wenn du etwas für mich tust. Im Nachbarreich gibt es ein Pferd mit einer goldenen Mähne. Bring mir

das, und ich werde dir den Feuervogel geben.'' Iwan willigte nur zu gern ein, und die Soldaten ließen ihn frei. Eilig lief er zurück zu dem grauen Wolf, der draußen wartete. Als er alles erfuhr, sagte der graue Wolf: ''Ich habe dir doch gesagt, daß du den Käfig nicht anfassen durftest! Aber komm schon, ich werde dich in das Nachbarreich bringen.''

Schnell trug der Wolf Iwan durch den Wald, bis sie zum Hof eines großen Schlosses kamen. ''Geh leise,'' flüsterte der graue Wolf. ''Das Pferd ist dort drinnen, aber du darfst auf keinen Fall seinen Zügel berühren.''

Iwan schlich auf Zehenspitzen in den Stall. Nebenan konnte er die Pferdeknechte reden hören. In einem Stand fand er ein prächtiges Streitroß mit einer leuchtend goldenen Mähne. Er überlegte, wie er es leise aus dem Stall führen konnte, und sein Blick fiel auf einen Zügel, der an der Wand hing. Ohne weiter nachzudenken, nahm er ihn herunter und streifte ihn dem Pferd über.

Sofort erhob sich ein großes Geschrei, und Iwan war von den zornigen Knechten umgeben.

"Unser Herr wird dich strafen," schrien die Männer. "Ein Gefangener von Zar Kusman entkommt nie!" Der zitternde Iwan wurde vor den Zaren geführt, der ihn zornig ansah.

“An deiner Rüstung sehe ich, daß du ein Prinz bist,” sagte er. “Warum kommst du hierher wie ein Dieb und stiehlst mein Pferd?” Iwan senkte voller Scham seinen Kopf. Dann fuhr der Zar fort: “Ich sollte überall von deiner Schande erzählen, aber vielleicht kannst du mir helfen.” Hoffnungsvoll blickte Iwan auf, als er das hörte.

“Im nächsten Königreich lebt eine schöne Prinzessin, die schöne Elena,” sagte der Zar.

“Ich liebe sie sehr. Bring sie zu mir, und ich werde dir verzeihen.”

Iwan sagte, er werde es versuchen, und der Zar ließ ihn frei. Iwan eilte zum Wolf und erzählte ihm, was geschehen war.

Der graue Wolf seufzte über seine Dummheit, aber verzieh ihm wieder. “Steig auf meinen Rücken und laß uns die schöne Elena finden,” sagte er.

Iwan und der Wolf eilten durch die Nacht, so schnell sie konnten. Sie liefen so schnell, daß die Vögel und die Tiere im Wald sich wunderten, als sie vorbeikamen. Dann kamen sie nach vielen Meilen an ein prächtiges Schloß. "Dieses Mal mache *ich* das," sagte der graue Wolf. "Hier wohnt Zar Dolmat. Warte auf mich bei dieser Eiche." Mit diesen Worten sprang der graue Wolf über die Mauer und verbarg sich im Schloßgarten.

Nach einer Weile kam die schöne Elena mit ihren Hofdamen, um zwischen den Blumen spazierenzugehen. Der graue Wolf sprang

hervor und packte die Prinzessin, dann rannte er zurück zu der Eiche. "Schnell!" rief er. Iwan sprang hinter Elena auf, und der starke Wolf galoppierte davon. Wütende Rufe schallten aus dem Schloß, und man hörte die Pferde der Verfolger. Aber der graue Wolf war schneller als der Wind, und die drei entkamen.

Iwan und Elena hielten sich aneinander fest auf dem Rücken des Wolfs. Der lief den ganzen Tag mit großen Sätzen zurück zum Schloß des Zaren Kusman. Iwan war ein stattlicher Jüngling, und Elena war schön.

Es dauerte nicht lange, da hatten sie einander sehr liebgewonnen, und als sie sich dem Schloß näherten, wurde Iwan immer trauriger.

Der graue Wolf blickte über seine Schulter zurück und fragte, was er hätte. Iwan begann zu weinen. "Ach!" sagte er, "Ich muß von Elena Abschied nehmen, und das kann ich nicht. Ich liebe sie zu sehr, und sie liebt mich."

Der Wolf lief ein wenig langsamer und dachte ein Weilchen nach. "Iwan," sagte er, "ich habe dir treu gedient, aber eines kann ich noch für dich tun. Ich kann mich in die Prinzessin Elena verwandeln. Laß sie hier und führe mich zum Zaren. Wenn du wieder an mich denkst, werde ich mich wieder in einen Wolf zurückverwandeln und zu dir zurückkehren."

Iwan war seinem Freund sehr dankbar und sehr erstaunt, als er sah, wie sich der Wolf verwandelte und genau so aussah wie Elena. Die beiden ließen die echte Elena am Waldrand zurück und gingen zum Zaren Kusman.

Der Zar war entzückt und gab Iwan mit Freuden das Pferd mit der goldenen Mähne. Iwan verneigte sich tief und verließ ihn. Er kehrte zu Elena zurück, und sie galoppierten auf dem wunderbaren Pferd fort, um den Feuervogel zu holen.

In der Zwischenzeit bereitete Zar Kusman die Hochzeit vor. Er wollte die schöne Elena heiraten, aber die war natürlich in Wirklichkeit weit weg bei Iwan. Die Hochzeitsfeier sollte gerade beginnen, als Iwan plötzlich an den grauen Wolf dachte – und damit war der Zauber beendet. Als Zar Kusman eben seine schöne Braut küssen wollte, verwandelte sie sich in einen Wolf mit bärtigem Gesicht und langen gelben Zähnen!

Alle waren so erstaunt, daß der graue Wolf sich leise davonmachen konnte. Bald hatte er Iwan und Elena eingeholt.

Jetzt mußten sie nur noch das Pferd mit der goldenen Mähne gegen den Feuervogel austauschen. Aber Iwan wollte sein schönes Pferd nicht verlieren. ‘‘Wenn du dich in eine Prinzessin verwandeln kannst,’’ sagte er zum grauen Wolf, ‘‘dann könntest du dich doch sicher auch in ein Pferd verwandeln?’’

Jetzt könntet ihr ja wohl glauben, daß der graue Wolf schon genug für Iwan getan hätte. Aber er war stolz auf seine Zauberkraft, und außerdem hatte er Iwan und Elena gern. Also verwandelte er sich auf der Stelle in ein Pferd, das sah genauso aus wie Iwans prächtiges Roß. “Wenn du wieder an mich denkst,” sagte der Wolf, “werde ich zurückkommen.”

Iwan freute sich sehr. Als sie zum Palast des Zaren Afron kamen, ließ er Elena mit dem Pferd zurück und ging mit dem grauen Wolf weiter, der wieherte und den Kopf warf. Zar Afron war hocherfreut, das Pferd mit der goldenen Mähne zu sehen, und gab Iwan gerne den Feuervogel.

Iwan verabschiedete sich, und schon bald galoppierten er und Elena auf dem wirklichen Pferd zum Haus seines Vaters.

Nach einer kleinen Weile dachte Iwan an den grauen Wolf. Zar Afron war gerade mit seinem neuen Pferd auf die Jagd geritten und war starr vor Schreck, als es sich plötzlich in einen fauchenden Wolf verwandelte und davonlief.

Nun besaß Iwan den Feuervogel, sein wunderbares Pferd und die schöne Elena. Der Wolf, der sie eingeholt hatte, trottete neben ihnen her, bis sie an den Ort kamen, wo er sich auf Iwans Pferd gestürzt hatte. Dort hielt der graue Wolf an. "Mein Werk ist getan," sagte er, "nun muß ich dich verlassen." Iwan war sehr traurig über den Abschied von seinem treuen Freund.

"Sage nicht Lebewohl," sagte der Wolf. "Vielleicht wirst du mich noch brauchen." Dann wandte er sich davon, und bald verbarg ihn der Wald vor ihren Blicken.

Iwan und Elena reisten weiter nach dem Hause seines Vaters. Die Reise war lang und es war heiß, und sie mußten rasten. Iwan band das Pferd an, und sie legten sich ins Gras und waren bald fest eingeschlafen.

Und als sie schliefen, wer kam des Weges als Iwans zwei Brüder. Sie waren auf der Suche nach dem Feuervogel gewesen, aber hatten ihn natürlich nicht finden können.

Peter zügelte sein Pferd und sagte zu Wassili: "Schau, Iwan hat den Feuervogel gefunden, und siehst du, er hat auch noch ein Pferd mit einer goldenen Mähne und eine wunderschöne Frau dazu. Das ist zuviel, denn Vater wird ihm außerdem das halbe Königreich geben!" Zorn erfüllte Peters Herz, und er zog sein Schwert und tötete den armen Iwan. Als Elena voller Schrecken erwachte, hielt Wassili ihr sein Schwert an die Kehle. "Du wirst auch sterben, wenn du unserem Vater auch nur ein Wort hiervon erzählst!"

Die arme Elena konnte nichts tun. Wassili setzte sie auf das Pferd mit der goldenen Mähne, und die bösen Brüder führten sie zum Schloß ihres Vaters.

Iwan lag tot im Wald, über ihm kreisten die Raben. Viele Tage später kam der graue Wolf des Weges und fand seinen Freund umgeben von jungen Vögeln. Rasch packte er eines der Küken, und eine Vogelmutter kam herab und bat um sein Leben. "Ich werde dein Kind verschonen, wenn du mir einen Dienst erweist," sagte der graue Wolf. "Flieg über die Berge und bring mir das Wasser des Lebens!"

Die verzweifelte Mutter war einverstanden und flog davon. Bald kam sie wieder zurück und hielt ein kleines Fläschchen im Schnabel.

Rasch sprengte der graue Wolf das Wasser über Iwan, und der Prinz erwachte langsam. "Ich habe lange geschlafen," sagte er.

"Steig auf meinen Rücken," sagte der graue Wolf. "Wir haben keine Zeit zu verlieren!"

Als Iwan auf dem Rücken des Wolfs zum Schloß seines Vaters kam, sah er, daß darüber Fahnen wehten und Menschen im Sonntagsstaat zu den Toren eilten. Der graue Wolf erzählte Iwan, was geschehen war. “Deine Brüder haben dich schlafend gefunden und getötet, dann nahmen sie den Feuervogel, das Pferd mit der goldenen Mähne, und sie raubten Elena.

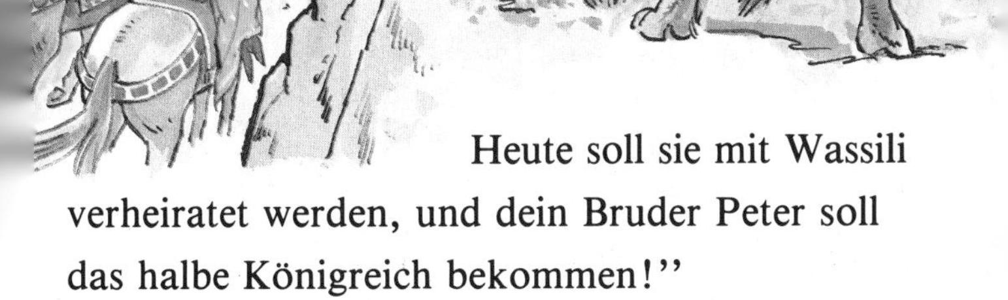

Heute soll sie mit Wassili verheiratet werden, und dein Bruder Peter soll das halbe Königreich bekommen!"

Iwan eilte in den Palast. Da stand Elena im Brautkleid, und als sie Iwan sah, schrie sie vor Freude auf. Seine beiden Brüder brachten vor Schreck kein Wort heraus.

Als der Zar Iwans Geschichte hörte, verbannte er die bösen Brüder und gab die Hälfte seines Königreichs stattdessen seinem jüngsten Sohn. Iwan und Elena heirateten, und wenn sie nicht gestorben sind, so leben sie noch heute.

Was aber den grauen Wolf angeht, so hilft er vielleicht heute noch den Menschen in den endlosen finsteren Wäldern Rußlands!